Cozinha Vegetariana

DOCES

CAROLINE BERGEROT
(SEFIRA)

COZINHA VEGETARIANA
DOCES

Editora Cultrix
SÃO PAULO

Copyright © 2002 Caroline Bergerot.

Copyright © 2002 Editora Pensamento-Cultrix Ltda.

1ª edição 2002.

2ª reimpressão 2013.

Foto da capa:
Paulo Gustavo Bergerot

Para contatos com a autora:
Caixa Postal 22902 CEP: 74916-970 GO

Direitos reservados
EDITORA PENSAMENTO-CULTRIX LTDA.
Rua Dr. Mário Vicente, 368 – 04270-000 – São Paulo, SP – Brasil
Fone: (11) 2066-9000 – Fax: (11) 2066-9008
E-mail: atendimento@editoracultrix.com.br
http://www.editoracultrix.com.br
Foi feito o depósito legal.

CONVERSA INICIAL

Muitas vezes ficamos presos à idéia de que doce é sinônimo de alimento que faz mal, coisa "proibida". Ficamos presos também à idéia de que doce é sinônimo de muita gordura e açúcar.

Temos uma variedade não muito pequena de frutas disponíveis; frutas da época, frutas secas e até frutas que não se desenvolvem em nosso país. Podemos e devemos abusar do consumo de frutas, principalmente as da estação.

Ter na geladeira um vidro com ameixas-pretas de molho em água filtrada é muito prático, além de saudável, e pode, às vezes, saciar a vontade de açúcar por possuir seu açúcar concentrado. A ameixa, assim como a calda que se forma, cabem em muitas receitas, sem roubar-lhes o sabor.

Nunca jogue frutas no lixo. Não espere ficarem escuras. Faça um bom doce e mantenha-o em vidros esterilizados, ou na geladeira, ou coloque-o em vidros pintados a mão, com tecido bordado na tampa e use para presentear.

Aproveite as receitas aqui apresentadas e use sua criatividade.

Legumes, como a moranga, podem se transformar em bombons deliciosos, e outros, como a cenoura podem resultar em doces incríveis.

Se educarmos nosso paladar, encontraremos o sabor e o açúcar próprio de cada fruta, sem precisarmos adoçá-las ainda mais. É um hábito que além de muito saudável faz com que descubramos sabores novos e deliciosos.

Os doces apresentados neste livro foram preparados com vários tipos de adoçantes naturais e comprovamos que não é a quantidade de açúcar que faz um doce ficar mais gostoso, e sim o discernimento, que faz com que entendamos o que a receita pede.

Para o resultado ser agradável, lembremo-nos de que muita atenção e carinho na preparação são fundamentais, pois o bom gosto na apresentação, ou mesmo nos formatos dos bombons e docinhos são observados e influenciam até mesmo no sabor.

Dedique algum dia da semana para preparar a sobremesa. Descubra a alegria que podemos irradiar ao prepararmos até mesmo um simples e delicado doce.

Bom trabalho!
Bons doces!

Índice
das Receitas

Abacaxi com calda de laranja 13
Abacaxi com rapadura 14
Abacaxi cristalizado 15
Abóbora com calda de chocolate 16
Arroz-doce 17
Banana, mamão e abacate 18
Bombom de ameixa seca 19
Bombom de amendoim 20
Bombom de cereja 21
Bombom de coco 22
Bombom de chuchu 23
Bombom crocante 24
Bombom de damasco seco 25
Bombom de fruta cristalizada 26
Bombom de marzipã 27
Bombom de moranga 28
Bombom de morango 29
Bombom de tâmara 30
Cenoura cremosa 31
Chocolate e coco em taças 32
Charlote de morango e chocolate 33
Cocada de fita 34

Cocada especial ... 35

Creme de abacate ... 36

Creme de papaia ... 37

Crumble de ameixa fresca ... 38

Crumble de pêra ... 39

Cuscuz de coco e banana ... 40

Cuscuz de tapioca ... 41

Doce cremoso de pêra ... 42

Doce de abóbora com coco ... 43

Doce de amendoim ... 44

Doce de amora ... 45

Doce de banana com goiaba ... 46

Doce de carambola ... 47

Doce de casca de laranja ... 48

Doce de laranja ... 49

Doce de mamão verde e ameixa seca ... 50

Doce de manga e coco ... 51

Doce de milho e coco ... 52

Doce de jaca ... 53

Doce de pêssego ... 54

Docinho de abacaxi ... 55

Docinho de noz e ameixa ... 56

Figo delicioso ... 57

Frutas quentes ... 58

Gelado de laranja e coco ... 59

Goiabada com maçã ... 60

Maçã assada ... 61

Manjar de coco 62
Morango e *tofu* 63
Ninhos... 64
Pé-de-moleque 65
Pêra em calda.. 66
Pudim de pão 67
Rodela de chocolate deliciosa............................. 68
Sagu com abacaxi... 69
Sagu com morango 70
Salada de fruta caprichada 71
Salada de fruta com chocolate 72
Saladinha de fruta 73
Sorvete de abacaxi... 74
Sorvete de mamão 75
Sorvete de manga 76
Sorvete de morango 77
Taça de manga com chocolate 78
Trufa de batata-doce 79
Uva especial 80

DOCES

ABACAXI COM CALDA DE LARANJA

- 1 abacaxi descascado e cortado em rodelas iguais (aproveite as cascas lavadas para sucos)
- 5 copos de açúcar
- 1 1/2 copo de suco de laranja

Corte as rodelas em 4 partes iguais e coloque-as numa panela grande. Disponha todo o açúcar por cima e após 3 horas leve a panela ao fogo, sem mexer.

Mantenha o fogo baixo por aproximadamente 30 minutos. Acrescente então o suco de laranja, espere a calda engrossar novamente.

Coloque o doce em um pote grande e bonito, e assim que esfriar coloque-o na geladeira para servir gelado.

ABACAXI COM RAPADURA

- 1 abacaxi pequeno descascado (aproveite as cascas lavadas para sucos)
- 2 copos de rapadura picada
- 1/2 copo de nozes descascadas e picadas

Corte o abacaxi em 3 partes iguais e uma delas passe pela centrífuga. Reserve o suco obtido.

Corte em tirinhas bem finas o abacaxi restante.

Coloque a rapadura em uma panela e mantenha o fogo alto. Quando derreter adicione o abacaxi e o suco.

Mexa com colher de pau até dar ponto. Adicione as nozes e misture bem.

ABACAXI CRISTALIZADO

- 1 abacaxi descascado e cortado em quadrados
- água fervendo

Para a calda:
- 4 copos de água
- 4 copos de açúcar

Coloque o abacaxi na água quente e cozinhe por 10 minutos. Escorra e passe por água fria.

Prepare a calda levando a água e o açúcar para ferver em fogo alto até começar a engrossar, cerca de 10 minutos. Adicione os pedaços de abacaxi e deixe 10 minutos. Retire a panela do fogo e deixe um dia inteiro descansando.

Retire os pedaços de abacaxi da calda e leve-a ao fogo. Assim que ferver devolva os abacaxis e deixe ferver por 10 minutos. Deixe a panela descansar fora do fogo por mais 1 dia.

Leve a panela com a calda e os pedaços de abacaxi ao fogo alto até quase secar a calda.

Escorra os pedaços de abacaxi colocando-o em uma peneira e em seguida leve-os ao sol em um tabuleiro que não seja de metal.

ABÓBORA COM CALDA DE CHOCOLATE

- 2 copos de abóbora descascada e ralada
- 1 copo de açúcar
- suco de 3 peras passadas na centrífuga
- 1 barra de chocolate amargo
- nozes a gosto
- folhas de hortelã

Faça uma calda com o açúcar e junte a abóbora e o caldo de pêra. Mantenha o fogo alto e mexa sempre com colher de pau até dar ponto.

Coloque o doce em tacinhas e leve-as à geladeira.

Sirva bem gelado, com calda de chocolate amargo derretido em banho-maria, uma noz e duas folhinhas de hortelã em cada taça.

ARROZ-DOCE

- 2 copos de arroz branco
- 2 cocos
- 6 copos de água quente
- 2 colheres de sopa de glicose de milho (ou mel ou melado ou mesmo açúcar)
- 1 colher de chá de sal
- canela em pó
- 4 cravos (opcional)
- 1/2 copo de açúcar

Retire a polpa do coco queimando-o na boca do fogão e batendo com um martelinho de cozinha (segure o coco quente com um pano grosso).

Bata o coco com a água quente e retire-lhe o leite passando por uma peneira e em seguida por um saco de pano. Use o bagaço para biscoitos.

Derreta o açúcar e deixe-o em ponto de calda.

Leve o arroz ao fogo junto com o leite de coco, o sal, os cravos. Mexa com colher de pau, em fogo alto e assim que o arroz estiver desmanchando adicione a calda. Mantenha o fogo alto e assim que der ponto coloque o doce em tacinhas ou em uma travessa. Polvilhe canela em pó por cima e sirva gelado.

BANANA, MAMÃO E ABACATE

- 4 bananas-nanicas maduras porém sem estarem com a casca escura
- 1 abacate médio maduro
- 1/2 mamão maduro
- 2 colheres de sopa de mel
- 1 colher de sopa de aveia em flocos
- 1 colher de sopa de castanha-de-caju picadinha

Corte o abacate ao meio, retire o caroço e delicadamente descasque-os com as mãos. Corte-os em quadrados iguais.

Corte o mamão em pedaços iguais ao do abacate.

Descasque as bananas e corte-as em rodelas.

Arrume o abacate, o mamão e a banana em um prato, coloque por cima o mel, a aveia e os pedacinhos de castanha-de-caju. Sirva imediatamente.

Para que fiquem fresquinhas, pode-se manter as frutas em geladeira antes de descascá-las.

BOMBOM DE AMEIXA SECA

- ameixas-pretas secas
- 1 copo de amêndoas descascadas
- 1 colher de sopa de glicose de milho ou melado
- 1 barra de chocolate amargo, sem leite

Deixe as ameixas de molho por uma noite em água filtrada e escorra a água no dia seguinte (use-a para doces, bolos, sucos ou tortas).

Bata as amêndoas no liquidificador junto com a glicose de milho, até que se forme uma massa.

Recheie, cuidadosamente, as ameixas com a massa de amêndoas.

Corte a barra de chocolate em pedaços e coloque-os em um pirex. Leve o pirex ao fogo, em banho-maria, e mexa o chocolate, delicadamente, até que esteja começando a derreter e comece a ficar cremoso.

Mergulhe as ameixas recheadas no chocolate e retire-as com o auxílio de dois palitos, ou garfos.

Forre uma assadeira com papel-manteiga e coloque os bombons para esfriar.

Leve a assadeira à geladeira por 1 hora.

BOMBOM DE AMENDOIM

- 1 copo de amendoins descascados e torrados
- 6 colheres de sopa de glicose de milho
- 1 barra de chocolate amargo, sem leite

Coloque os amendoins no liquidificador bem seco e triture-os até que fiquem como uma farinha.

Leve a glicose de milho ao fogo e assim que estiver derretida junte a "farinha" de amendoim. Mexa com colher de pau até dar ponto de doce.

Quando a massa de amendoim ficar morna, faça bolinhas de tamanhos iguais e reserve-as.

Corte a barra de chocolate em pedaços e coloque-os em um pirex pequeno.

Leve o pirex ao fogo, em banho-maria, e mexa o chocolate, delicadamente, até que esteja começando a ficar cremoso.

Mergulhe as bolinhas de amendoim no chocolate derretido e retire-os com o auxílio de 2 palitos ou garfos.

Forre uma assadeira com papel-manteiga e coloque os bombons para esfriar. Leve a assadeira à geladeira por 1 hora.

BOMBOM DE CEREJA

- 1 copo de cerejas marrasquino
- 1 barra de chocolate amargo, sem leite

Corte a barra de chocolate em pedaços e coloque-os em um pirex. Leve o pirex ao fogo, em banho-maria, e mexa o chocolate, delicadamente, até que esteja começando a derreter e ficar cremoso.

Mergulhe as cerejas no pirex em banho-maria e envolva-as bem pelo chocolate.

Retire as cerejas com o auxílio de dois palitos, ou garfos e coloque-as em uma assadeira forrada com papel-manteiga.

Leve a assadeira à geladeira por 1 hora.

BOMBOM DE COCO

- 1 coco
- 4 colheres de sopa de glicose de milho
- 1 colher de chá de noz-moscada moída
- 1 colher de sopa de óleo de milho
- 1 1/2 barra de chocolate amargo, sem leite

Corte a barra de chocolate em pedaços e coloque-os em um pirex. Leve o pirex ao fogo, em banho-maria, e mexa o chocolate, delicadamente, até que esteja começando a derreter e a ficar cremoso.

Rale uma metade do coco bem fininho, e a outra mais grossa.

Derreta a glicose de milho em uma panela e acrescente o coco ralado fino, o óleo de milho e a noz-moscada. Mexa até dar ponto. Coloque a outra metade do coco ralado em um prato e reserve-a.

Unte as mãos com um pouco de óleo e forme bolinhas iguais com o doce de coco. Mergulhe-as no chocolate derretido e retire-as usando dois palitos, ou garfos, e passe-as em seguida pelo prato de coco ralado. Forre uma assadeira com papel-manteiga e coloque os bombons para esfriar. Leve a assadeira à geladeira por 1 hora.

BOMBOM DE CHUCHU

- 1 copo de chuchu ralado
- 4 copos de açúcar
- 1 colher de sobremesa de raspa de laranja
- 6 colheres de sopa de caldo de laranja
- 2 cravos
- 1 1/2 barra de chocolate amargo, sem leite
- uvas-passas sem sementes

Coloque o chuchu ralado em uma panela e misture-o com o açúcar, a raspa e o caldo de laranja, os cravos.

Leve a panela ao fogo baixo, mexa de vez em quando com colher de pau e espere dar ponto, aparecendo o fundo da panela. Quando o doce esfriar dê formatos para o bombom.

Corte a barra de chocolate em pedaços e coloque-os em um pirex. Leve o pirex ao fogo, em banho-maria, e mexa o chocolate, delicadamente, até que esteja começando a derreter e a ficar cremoso.

Mergulhe as bolinhas no chocolate. Retire-as usando dois palitos, ou garfos. Sobre cada uma coloque uma passinha. Espere esfriar e mantenha-as na geladeira até o momento de servir.

BOMBOM CROCANTE

- 1 copo de cereais de arroz
- cerejas em calda
- 1 1/2 barra de chocolate amargo, sem leite

Corte a barra de chocolate em pedaços e coloque-os em um pirex. Leve o pirex ao fogo, em banho-maria, e mexa o chocolate, delicadamente, até que esteja começando a derreter e a ficar cremoso.

Escorra a calda das cerejas e mergulhe-as no chocolate derretido. Retire-as usando dois palitos, ou garfos, e passe-as em seguida pelo prato de flocos de arroz, de modo que fiquem inteiramente cobertas.

Forre uma assadeira com papel-manteiga e coloque os bombons para esfriar. Leve a assadeira à geladeira por 1 hora.

BOMBOM DE DAMASCO SECO

- 1 copo de damascos secos cortados ao meio
- 1 barra de chocolate amargo, sem leite

Corte a barra de chocolate em pedaços e coloque-os em um pirex. Leve o pirex ao fogo, em banho-maria, e mexa o chocolate, delicadamente, até que esteja começando a derreter e a ficar cremoso.

Corte os damascos secos ao meio, de forma que fiquem todos de tamanhos semelhantes.

Mergulhe os pedaços de damascos no pirex do chocolate em banho-maria e retire os pedaços encobertos pelo chocolate com o auxílio de dois palitos, ou garfos.

Forre uma assadeira com papel-manteiga e coloque os bombons para esfriar. Leve a assadeira à geladeira por 1 hora.

Sirva os bombons aos chás, ou em lanchinhos.

BOMBOM DE FRUTA CRISTALIZADA

- figos cristalizados
- bananas cristalizadas
- pedaços de laranjas cristalizadas
- cerejas cristalizadas
- 1 barra de chocolate amargo, sem leite
- nozes descascadas

Corte a barra de chocolate em pedaços e coloque-os em um pirex. Leve o pirex ao fogo, em banho-maria, e mexa o chocolate, delicadamente, até que esteja começando a derreter e a ficar cremoso.

Corte as frutas cristalizadas de forma que fiquem todas de tamanhos iguais.

Mergulhe as frutas no chocolate em banho-maria e envolva-as bem. Retire os bombons com o auxílio de dois palitos, ou garfos. Fixe sobre cada bombom 1/2 noz.

Forre uma assadeira com papel-manteiga e coloque os bombons para esfriar. Leve a assadeira à geladeira por 1 hora.

BOMBOM DE MARZIPÃ

- 1 copo de massa pronta de marzipã
- 1 1/2 barra de chocolate amargo, sem leite
- amêndoas torradas e picadas (opcional)

Pegue 1 colher de sobremesa da massa pronta de marzipã, faça uma bolinha e dê uma achatada para que fique uma chapinha.

Corte a barra de chocolate em pedaços e coloque-os em um pirex. Leve o pirex ao fogo, em banho-maria, e mexa o chocolate, delicadamente, até que esteja começando a derreter e a ficar cremoso. Mergulhe-as no chocolate derretido e retire-as usando dois palitos, ou garfos.

Coloque as amêndoas dentro de um saco de pano e bata com martelinho para picar. Torre em uma panela para que dourem.

Passe os bombons pelas amêndoas torradas.

Forre uma assadeira com papel-manteiga e coloque os bombons para esfriar. Leve a assadeira à geladeira por 1 hora.

BOMBOM DE MORANGA

- 2 copos de abóbora moranga crua ralada
- 1/2 copo de açúcar
- 1 colher de sobremesa de casca de laranja ralada
- 1 1/2 barra de chocolate amargo, sem leite

Coloque o açúcar em uma panela larga, mexa de vez em quando, e assim que estiver derretido, coloque a moranga ralada e a casca de laranja. Tampe a panela e a cada 5 minutos mexa para que não grude.

Assim que estiver em ponto de doce, aparecendo o fundo da panela, apague o fogo e espere esfriar.

Corte a barra de chocolate em pedaços e coloque-os em um pirex. Leve o pirex ao fogo, em banho-maria, e mexa o chocolate, delicadamente, até que esteja começando a derreter e a ficar cremoso. Forme bolinhas iguais com o doce de moranga e mergulhe-as no chocolate derretido. Retire-as usando dois palitos ou garfos.

Forre uma assadeira com papel-manteiga e coloque os bombons para esfriar na geladeira por 1 hora.

BOMBOM DE MORANGO

- 1 bandeja de morangos frescos
- 2 copos de castanha-de-caju picadinha
- 1 barra de chocolate amargo, sem leite

Corte a barra de chocolate em pedaços e coloque-os em um pirex. Leve o pirex ao fogo, em banho-maria, e mexa o chocolate, delicadamente, até que esteja começando a derreter e a ficar cremoso.

Coloque a castanha-de-caju picadinha em um prato fundo.

Retire as folhas dos morangos e lave-os muito bem e mergulhe-os no chocolate derretido. Retire-os cuidadosamente usando dois palitos ou garfos, e passe-os em seguida pelo prato de castanhas.

Forre uma assadeira com papel-manteiga e coloque os bombons para esfriar. Leve a assadeira à geladeira por 1 hora.

BOMBOM DE TÂMARA

- 1 copo de avelã
- 6 colheres de sopa de glicose de milho
- 1 colher de chá de xarope de romã
- tâmaras secas
- 1 barra de chocolate amargo

Coloque as avelãs no liquidificador bem seco e triture-as até que virem uma farinha.

Leve a glicose de milho com o xarope de romã ao fogo. Assim que estiver derretida junte a "farinha" de avelãs e mexa com colher de pau. Apague o fogo e espere o doce esfriar.

Retire com cuidado os cabinhos das tâmaras e retire os caroços (você pode plantá-los pois germinam facilmente!). Caso esteja difícil, faça uma abertura lateral na fruta com uma faca. Recheie cada tâmara com o doce de avelãs.

Corte a barra de chocolate em pedaços e coloque-os em um pirex. Leve-o ao fogo, em banho-maria, e mexa delicadamente, até que esteja começando a ficar cremoso. Mergulhe as tâmaras recheadas no chocolate e retire-as, arrumando-as em um prato com papel-manteiga. Mantenha os bombons na geladeira.

CENOURA CREMOSA

- 4 cenouras grandes raladas bem fininhas
- 2 copos de açúcar mascavo
- casca de 1 laranja
- 1/2 copo de suco de laranja

Derreta o açúcar e quando formar uma calda adicione a cenoura, a casca e o suco. Mexa bem com colher de pau e espere dar ponto de doce.

Assim que o doce ficar morno leve-o à geladeira e sirva-o geladinho, como sobremesa ou para acompanhar um bolo simples.

CHOCOLATE E COCO EM TAÇAS

- 1 copo de açúcar mascavo
- 1 colher de sopa de cacau
- 4 colheres de sopa de leite de coco bem grosso
- 1 copo de coco ralado
- 1/2 barra de chocolate amargo
- 1/2 copo de cerejas em calda picadinhas
- 3 colheres de sopa de nozes frescas picadinhas

Derreta o açúcar e quando formar uma calda adicione o coco ralado, o leite de coco e o cacau. Mexa com colher de pau até dar ponto.

Derreta o chocolate em barra em banho-maria. Junte ao chocolate derretido as cerejas e as nozes picadas.

Coloque o doce de coco em tacinhas pequenas e sobre cada uma adicione um pouquinho do chocolate amargo.

Deixe o doce gelar por 2 horas, pelo menos, antes de servi-lo.

CHARLOTE DE MORANGO E CHOCOLATE

- 4 copos de morangos frescos sem os cabinhos e picadinhos
- 2 colheres de sopa de xarope de romã
- 1 copo de açúcar
- 4 colheres de óleo de canola
- 1 barra de chocolate amargo
- 1 colher de café de baunilha natural
- fatias finas de pão

Leve os morangos ao fogo com o açúcar, uma colher de óleo e o xarope de romã. Tampe e mexa com colher de pau de vez em quando, até formar um doce cremoso.

Coloque óleo em uma frigideira larga e frite as fatias de pão de modo a quase dourá-las dos dois lados. Ao retirá-las polvilhe açúcar.

Derreta o chocolate em banho-maria e adicione a baunilha. Forre uma forma com metade dos pães. Coloque metade do doce de morangos, por cima metade do chocolate, o restante do morango e o chocolate. Cubra com os pães e deixe 20 minutos em forno morno.

COCADA DE FITA

- 1 coco
- 3 copos de açúcar

Abra o coco, rale-o em fitas e coloque-as de molho em água fria.

Coloque o açúcar em uma panela, fogo baixo, e mexa com colher de pau até derreter e engrossar.

Quando der ponto retire as tiras de coco da água e junte à calda.

Mexa com o auxílio de um garfo e coloque às colheradas em uma pedra fria untada ou tabuleiro.

Espere as cocadas esfriarem para retirá-las com uma espátula e servi-las.

COCADA ESPECIAL

- 2 colheres de sopa de aveia em flocos bem grandes
- 1 colher de sopa de óleo
- 2 colheres de sopa de glicose de milho
- 2 colheres de sopa de flocos crocantes de arroz
- 4 colheres de sopa de coco ralado já adocicado

Coloque o óleo e a glicose de milho em uma panela e deixe em fogo alto até que estejam bem quentes.

Adicione os demais ingredientes e mexa com uma colher de pau até que tudo se misture. Apague o fogo e espalhe o conteúdo da panela em um pirex pequeno.

Espere estar morno para cortar em quadrados e servir.

CREME DE ABACATE

- 3 copos de polpa de abacate maduro
- 4 colheres de sopa de limão
- 1 copo de leite de coco (ou soja)
- 2 colheres de sopa de açúcar ou melado
- 5 folhinhas de hortelã
- 2 figos em calda

Coloque o leite de coco no liquidificador e adicione os demais ingredientes. Bata até ficar bem cremoso, adicionando mais abacate se quiser mais grosso, ou mais leite, se preferir mais fino.

Sirva o doce em tacinhas, com uma folhinha de hortelã em cada uma e uma fatia de figo em calda.

CREME DE PAPAIA

- 4 papaias maduros
- 7 colheres de sopa de groselha natural
- granola a gosto
- gelo

Retire a polpa dos papaias com o auxílio de uma colher e coloque-as no liquidificador com um punhado de gelo e a groselha.

Coloque o creme em belos potes e sirva-o imediatamente, com granola por cima.

CRUMBLE DE AMEIXA FRESCA

- 5 ameixas maduras cortadas em fatias médias
- 4 colheres de sopa de açúcar
- 1 colher de café de gengibre ralado fininho

Farofa para cobrir:

- 1/2 copo de farinha de trigo
- 1/2 copo de aveia em flocos grandes
- 1 colher de café de pimenta-da-jamaica (não é picante)
- 1 colher de café de canela em pó
- 1 colher de café de cravo em pó
- 1/2 copo de coco ralado
- 5 colheres de sopa de óleo de milho
- 6 colheres de sopa de açúcar mascavo

Misture as fatias de ameixa com o açúcar e o gengibre, arrume em um pirex e deixe reservado.

Misture em uma tigela todos os ingredientes da farofa, deixando para o fim o óleo. Mexa com colher de pau até ficar semelhante a uma farofa.

Cubra as fatias de ameixa com a farofa e leve ao forno já quente. Asse em forno médio por 35 minutos e sirva acompanhado de sorvetes ou puro.

CRUMBLE DE PÊRA

- 4 peras maduras cortadas em fatias médias
- 3 colheres de sopa de açúcar
- 1 colher de café de canela em pó
- 1 colher de chá de sumo de limão

Farofa para cobrir:
- 1/2 copo de farinha de trigo
- 1 pitada de canela em pó
- 1 colher de café de noz-moscada ralada
- 1/2 copo de castanha-do-pará
- 1/2 copo de aveia em flocos grandes
- 4 colheres de sopa de óleo de milho
- 5 colheres de sopa de açúcar mascavo

Misture as fatias de pêra com o açúcar, a canela, o limão e arrume em um pirex. Deixe reservado.

Misture em uma tigela todos os ingredientes da farofa, deixando para o fim o óleo. Mexa com colher de pau até ficar semelhante a uma farofa.

Cubra as fatias de pêra com a farofa e leve ao forno já quente. Asse em forno médio por 40 minutos e sirva quente, acompanhado de sorvetes ou mesmo puro.

CUSCUZ DE COCO E BANANA

- 1 copo de farinha de milho para cuscuz
- 1 copo de flocos de coco adocicado
- 1 pitada de sal
- 2 colheres de sopa de açúcar mascavo
- 1 copo de banana-d'água picada em rodelinhas
- 8 colheres de sopa de água
- 12 bananas-d'água grandes inteiras e maduras
- 1 colher de sobremesa de *missô*

Misture a farinha de milho com o coco, o sal e o açúcar. Adicione a banana e a água e mexa. Coloque um pano de prato limpo dentro de uma cuszeira e sobre ele a mistura do cuscuz. Dê uma apertadinha na massa, cubra-a com as pontas do pano e tampe. Coloque água na parte de baixo da panela e deixe-a em fogo alto por 45 minutos, cuidando para a água não secar.

Paralelamente coloque as bananas descascadas numa panela de pressão com a água e o *missô* e deixe-a por 1 hora em fogo médio. Retire a pressão da panela antes de abrir. Pode-se bater as bananas no liquidificador para ficar um doce mais liso ou deixá-lo como sai da panela. Desenforme o cuscuz e sirva-o com o doce.

CUSCUZ DE TAPIOCA

- 1 coco fresco
- 4 copos de água quente
- 1 copo de tapioca
- 4 colheres de sopa de açúcar
- 1 colher de chá de sal

Abra o coco e reserve 1/2 para ralar.

Corte o coco em pedaços e bata-os no liquidificador com a água quente. Passe por uma peneira e em seguida por um saco de pano, a fim de retirar o leite. Tempere o leite com sal e açúcar.

Rale o coco reservado em fitas.

Em um pirex alto faça uma camada com metade da tapioca, uma camada com metade do coco em fita. Cubra com metade do leite de coco.

Espere uns minutos para que a tapioca absorva o leite e coloque mais tapioca com leite de coco.

Separadamente derreta numa frigideira 3 colheres de sopa de açúcar e adicione o coco em fita restante até ficar crocante. Espere esfriar, separe-os com as mãos e cubra o cuscuz.

Assim que o cuscuz esfriar coloque-o na geladeira até o momento de servi-lo.

DOCE CREMOSO DE PÊRA

- 10 peras maduras
- 2 copos de água
- 4 a 5 copos de açúcar

Corte as peras ao meio e retire-lhes o cabinho e as sementes.

Leve as peras ao fogo médio com os 2 copos de água e assim que estiverem macias, bata-as no liquidificador e passe o creme por uma peneira.

Misture o creme de peras com o açúcar e leve ao fogo até dar ponto de doce, mexendo sempre para não grudar no fundo da panela.

Depois que o doce esfriar, leve-o à geladeira ou conserve-o em vidros esterilizados, com tampa.

DOCE DE ABÓBORA COM COCO

- 1 abóbora japonesa pequena
- 1 copo de açúcar
- 1 copo de leite de coco
- 3 paus de canela
- 4 cravos
- 1 pacote de coco ralado queimado e adocicado (crocante)

Cozinhe a abóbora descascada e cortada em pedaços, juntamente com 1 pau de canela e 3 cravos. Quando estiver bem macia retire do fogo, dispense a canela e o cravos, amasse com garfo e volte ao fogo juntamente com o açúcar, o leite de coco e o restante da canela e cravo.

Leve ao fogo alto e mexa com colher de pau até dar o ponto desejado.

Espere o doce esfriar e leve-o à geladeira em uma bonita travessa. Sirva-o com o coco adocicado e crocante por cima.

DOCE DE AMENDOIM

- 2 copos de amendoim descascado e torrado
- 1 copo de açúcar mascavo
- 2 cravos-da-índia
- casca de 1 laranja
- 1 colher de café de sal marinho peneirado
- 3 colheres de sopa de farinha de mandioca

Bata os amendoins no liquidificador bem seco até ficar como uma farinha. Misture-o com a farinha de mandioca e o sal e deixe reservado.

Leve ao fogo uma panela e coloque o açúcar mascavo para derreter e juntamente com a casca de laranja e os cravos. Assim que estiver formando espuma retire a casca de laranja e os cravos e adicione a farofa de amendoim.

Mexa com colher de pau até dar ponto e vire em uma assadeira untada com óleo para que depois de frio possa ser cortado em quadrados.

DOCE DE AMORA

- 7 copos de amoras frescas, bem lavadas e sem os cabinhos
- 1/2 copo de água
- 4 copos de açúcar
- cascas de 1 laranja (opcional)

Leve as amoras ao fogo com a água até elas quase se desmancharem.

Derreta o açúcar até virar calda e vire na panela das amoras. Deixe no fogo por mais 5 minutos, mexendo sempre.

Mantenha o doce em geladeira.

DOCE DE BANANA COM GOIABA

- 6 bananas-nanicas maduras
- 6 goiabas vermelhas
- 2 1/2 copos de açúcar
- 1 cravo
- 1 pedaço pequeno de canela em pau
- 1 pitada de noz-moscada ralada
- 1/2 copo de água

Corte as goiabas ao meio, retire a polpa, coloque-as em uma panela com 1/2 copo de água e cozinhe-as até ficarem macias. Passe-as por uma peneira fina.

Em outra panela coloque o açúcar com os cravos a canela e a noz-moscada e quando estiver em ponto de calda adicione o creme de goiaba peneirado. Quando começar a aparecer o fundo da panela retire o pau de canela e os cravos.

Arrume as bananas descascadas em um pirex untado e cubra-as com o doce de goiaba, leve ao forno quente e mantenha-o quente por 20 minutos.

Obs.: pode-se consumir o doce de goiaba simplesmente. Assim que o doce der ponto retire-o do fogo e espere esfriar para colocar na geladeira.

DOCE DE CARAMBOLA

- 6 carambolas maduras raladas (utilize um aparelho elétrico)
- 4 copos de açúcar
- casca de 1 laranja
- 1/2 copo de *tahine* diluído em 1/2 copo de água filtrada e com uma pitadinha de sal
- folhinhas de hortelã

Passe as carambolas por um ralador de modo que fiquem filetes grandes e finos.

Coloque o açúcar em uma panela, fogo baixo. Mexa sempre com colher de pau, e assim que a calda iniciar a ferver adicione a casca de laranja e a carambola.

Continue mexendo até a carambola estar macia e começar a aparecer o fundo da panela. Retire a casca de laranja.

Coloque um pouco de doce em tacinhas e quando esfriarem coloque-as na geladeira até o momento de servir. No momento de servir coloque sobre a taça uma colherada de *tahine* diluído.

Enfeite com uma folhinha de hortelã.

DOCE DE CASCA DE LARANJA

- 4 copos de casca de laranja moída (descasque as laranjas e passe as cascas por um triturador justo)
- 4 copos de açúcar mascavo
- 1/2 copo de suco de laranja
- 4 cravos-da-índia

Após triturar as cascas, deixe-as de molho por um dia em uma tigela grande, com bastante água. Com o auxílio de uma peneira troque a água, a cada 4 horas.

Após isso, escorra a água e leve ao fogo com o açúcar e os cravos. Quando o doce estiver grosso adicione o suco de laranja e espere dar ponto novamente (até aparecer o fundo da panela).

Assim que o doce esfriar coloque-o em um pote bonito e conserve-o em geladeira.

DOCE DE LARANJA

- 10 laranjas doces
- 8 copos de açúcar
- água para deixar as laranjas de molho

Corte as laranjas em tirinhas finas, sem retirar-lhes a casca, mas retirando as sementes.

Deixe as tiras de laranja de molho em água em uma tigela grande, por um dia inteiro.

Retire a água e misture então as laranjas com o açúcar e leve ao fogo, mexendo sempre até aparecer o fundo da panela.

Mantenha o doce em geladeira ou conserve-o em vidros esterilizados e bem tampados.

DOCE DE MAMÃO VERDE E AMEIXA SECA

- 5 copos de mamão verde descascado, ralado e deixado de molho por uma noite
- 5 copos de açúcar mascavo (ou comum)
- cascas de 1 laranja
- 1 copo de ameixas secas sem sementes

Após escorrer toda a água que o mamão ficou de molho, coloque todos os ingredientes em uma panela grande e leve-a ao fogo. Mexa sempre até dar ponto.

Coloque o doce em um pote e mantenha-o em geladeira até o momento de servi-lo.

DOCE DE MANGA E COCO

- 4 copos de mangas descascadas, cortadas em filetes bem finos
- 2 copos de coco ralado em fitas
- 2 copos de açúcar
- 1/2 copo de leite de coco
- 1 colher de café de baunilha
- granola a gosto para acompanhar
- leite de coco a gosto para servir

Faça uma calda com o açúcar e então adicione as mangas em tiras, o leite de coco, a baunilha.

Mexa, sempre com colher de pau, e quando começar a aparecer o fundo da panela adicione o coco ralado em fitas.

Sirva o doce em tacinhas acompanhado de mais leite de coco e granola crocante.

DOCE DE MILHO E COCO

- 15 espigas de milho verde
- 2 1/2 copos de água quente
- 1 1/2 copo de açúcar
- 1/2 colher de café de sal
- 1 coco

Rale as espigas e passe os grãos por uma peneira. Abra o coco e bata toda polpa com a água quente. Esprema o coco batido em um pano limpo para retirar-lhe o leite e coloque-o em uma panela. Junte à panela, o milho ralado, o açúcar e o sal.

Leve ao fogo, mexendo sempre até aparecer o fundo da panela.

Vire o doce em um pirex e quando esfriar, leve-o à geladeira.

DOCE DE JACA

- 2 copos de gomos de jaca sem caroços e cortados em quadrados médios
- 4 copos de açúcar
- 1 colher de café de gengibre ralado
- 1 colher de sopa de xarope de romã (encontrado em empórios turcos)
- granola (opcional)

Coloque o açúcar em uma panela e leve-a ao fogo brando. Assim que se tornar uma calda adicione os pedaços de jaca, o gengibre e o xarope de romã.

Mexa com colher de pau até a jaca estar cozida e o doce der ponto.

Coloque em um bonito pote e quando estiver frio leve-o à geladeira.

Pode ser servido com granola a gosto.

DOCE DE PÊSSEGO

- 15 pêssegos maduros
- 1 copo de água
- 5 copos de açúcar

Retire os caroços dos pêssegos e cozinhe-os com 1 copo de água, em panela tampada. Assim que estiverem macios, bata-os no liquidificador e passe o creme obtido por uma peneira.

Derreta o açúcar, mexendo sempre, até virar calda, quase endurecendo. Acrescente o creme de pêssegos e volte ao fogo, mexendo sempre até despregar do fundo.

Vire o doce em um pirex raso para desenformá-lo depois de frio.

DOCINHO DE ABACAXI

- 1 abacaxi grande descascado e ralado (use máquina)
- 1 coco pequeno ralado
- 3 1/2 copos de açúcar
- cravos-da-índia

Misture o abacaxi ralado com o coco e o açúcar, coloque tudo em uma panela e leve ao fogo baixo.

Mexa sempre com colher de pau até dar ponto, aparecer o fundo da panela.

Assim que o doce esfriar faça bolinhas e passe-as pelo açúcar cristalizado. Coloque um cravo em cada um.

Sirva os docinhos em reuniões e festinhas.

DOCINHO DE NOZ E AMEIXA

- 1 copo de nozes descascadas
- 1 1/2 copo de açúcar mascavo
- 2 copos de chá preto forte
- 2 copos de ameixa seca

Coloque as nozes no liquidificador bem seco e triture-as até ficarem como uma farinha.

Faça uma calda com as ameixas, o chá preto e o açúcar e leve ao fogo alto. Assim que estiver grossa, começando a dar ponto, adicione as nozes trituradas. Mexa até terminar de dar ponto.

Espere o doce esfriar e enrole-os. Passe por açúcar cristalizado e arrume em forminhas de alumínio.

FIGO DELICIOSO

- 4 figos grandes frescos
- 1 1/2 copo de suco de laranja
- 1 pedaço pequeno de canela em pau
- 8 colheres de sopa de açúcar mascavo

Coloque em uma panela o suco de laranja junto com a canela e o açúcar e leve ao fogo baixo até o açúcar derreter. Arrume os figos cortados ao meio em um pirex, cubra-os com essa calda e deixe descansar por 2 horas e meia.

Asse-os em forno forte por 20 minutos aproximadamente.

Pode-se servir os figos quentes ou acompanhados por sorvete de laranja.

FRUTAS QUENTES

- 3 rodelas de abacaxi
- 1 maçã vermelha madura
- 2 bananas-nanicas maduras
- 2 colheres de sopa de mel de uvas (encontrado em empórios árabes)
- 5 colheres de sopa de nozes descascadas e picadas

Corte as fatias de abacaxi em quadrados iguais.

Descasque a maçã e corte-a do mesmo tamanho que o abacaxi, assim como as bananas.

Coloque as frutas em um pirex, espalhe mel de uvas por cima, as nozes e leve ao forno quente por 20 minutos, sem cobrir.

Sirva quente, em taças bem largas, com uma bola de sorvete de frutas.

GELADO DE LARANJA E COCO

- 5 copos de suco de laranja
- 4 copos de açúcar
- 1 copo de leite de coco
- 1 colher de sopa de maisena
- 1/2 copo de leite de soja
- 4 colheres de sopa de glicose de milho
- 1 colher de café de baunilha natural
- folhinhas de hortelã para decorar

Leve o suco de laranja com o açúcar ao fogo alto, mexendo sempre com colher de pau até dar ponto. Coloque em tacinhas.

Em outra panela leve o leite de coco com o leite de soja e a glicose ao fogo alto.

Assim que começar a ferver espere 5 minutos e adicione aos poucos a maisena já diluída. Não pare de mexer e assim que engrossar coloque um pouco em cada tacinha (caso se formem pelotes, bata esse creme no liquidificador).

Espere o doce ficar morno para levá-lo à geladeira e servi-lo geladinho, com uma folhinha de hortelã em cada taça.

GOIABADA COM MAÇÃ

- 10 goiabas grandes
- 4 copos de açúcar
- 4 maçãs descascadas e cortadas em fatias finas
- gergelim torrado

Corte as goiabas ao meio e cozinhe-as com pouca água até amolecerem.

Passe-as por uma peneira e volte ao tacho, junto com o açúcar. Mantenha em fogo alto e mexa com colher de pau por 30 minutos.

Adicione as fatias finas de maçã e termine de dar ponto.

Coloque em potinhos e salpique um pouquinho de gergelim torrado.

MAÇÃ ASSADA

- 3 maçãs vermelhas, maduras
- 3 colheres de sopa de mel ou açúcar mascavo
- 3 passinhas
- 3 colheres de café de canela em pó

Lave cada maçã e retire o centro delas com uma faca ou com uma ferramenta própria para isto. Tente não furar o fundo delas.

Recheie cada uma com 1 colher de mel ou o açúcar mascavo, 1 passinha e 1/2 colher de café de canela em pó.

Arrume as maçãs bem juntinhas uma das outras para não virarem em um pirex pequeno untado com óleo e asse em temperatura alta por 35 minutos. Sirva-as quentes ou frias.

MANJAR DE COCO

- 1 coco
- 4 copos de água bem quente
- 3 colheres de sopa de maisena
- 4 colheres de sopa de açúcar branco
- sal

Para a calda:
- 1 copo de ameixas secas sem caroço
- 1 1/2 copo de chá preto bem forte
- 5 colheres de sopa de açúcar mascavo

Abra o coco e bata a polpa, cortada em pedaços pequenos, com a água quente. Passe por uma peneira e em seguida por um pano limpo para que se retire todo o leite. Aproveite a sobra do coco peneirado para granolas e biscoitos.

Leve o leite de coco ao fogo, junto com o açúcar, o sal e a maisena. Mexendo sempre com colher de pau, espere engrossar para então despejar em uma forma com furo central (passe um pouco de água fria por ela antes de virar o doce). Espere esfriar e leve o manjar à geladeira.

Separadamente cozinhe as ameixas-pretas no chá preto e com o açúcar até ficarem com uma calda grossa. Desenforme o manjar gelado em um prato e cubra-o com a calda de ameixas. Sirva-o.

MORANGO E *TOFU*

- 2 copos de *tofu* cortado em quadradinhos
- 3 copos de morangos sem os cabinhos, cortados em quadradinhos
- 6 colheres de sopa de açúcar
- 4 colheres de sobremesa de sumo de limão
- mel de uvas (encontrados em empórios árabes)

Derreta o açúcar e adicione o morango picado e o limão. Tampe a panela e mexa de vez em quando, com colher de pau, até os morangos estarem cozidos.

Amasse o *tofu* com garfo e coloque no fundo de tigelinhas. Por cima disponha o doce de morango.

Leve à geladeira e deixe por 2 horas. Ao servir o doce coloque 1 colher de sopa de mel de uvas sobre cada uma.

NINHOS

- 4 ninhos de macarrão (cabelo-de-anjo)
- 1 coco grande
- 3 copos de água quente
- 2 copos de tâmaras secas sem os caroços e picadinhas
- 1 copo de açúcar
- 1 colher de chá de água de rosas (encontrada em empórios árabes)
- 1/2 copo de nozes picadas

Abra o coco e bata no liquidificador com a água fervendo. Passe por peneira e em seguida esprema em um pano.

Cozinhe os ninhos no leite de coco, junto com as tâmaras. A massa deve absorver o leite de forma a não ficar com excesso.

Separadamente derreta o açúcar e quando formar calda adicione a água de rosas.

Arrume os ninhos cozidos em um pirex ou travessa que possa ir ao forno. Derrame sobre eles a calda e as nozes picadas. Leve ao forno já bem quente e deixe por 15 minutos.

Sirva em seguida, em porções colocadas em potinhos delicados.

PÉ-DE-MOLEQUE

- 3 copos de rapadura picadinha
- 3 copos de amendoim descascado e torrado
- 1 colher de óleo de milho
- 1 colher de sopa de leite de coco bem concentrado

Coloque a rapadura em uma panela larga, fogo alto, e assim que estiver toda derretida adicione os amendoins, bem como o óleo de milho e o leite de coco. Mantenha o fogo alto e mexa com colher de pau até dar ponto e o fundo da panela começar a aparecer.

Vire o doce em pedra ou assadeira untada e alise com uma colher. Assim que começar a esfriar corte-o em quadrados iguais.

PÊRA EM CALDA

- 6 peras maduras
- 3 copos de açúcar
- 1 copo de água

Misture o açúcar e a água e leve ao fogo alto. Assim que estiver uma calda grossa adicione as fatias de pêra.

Mexa delicadamente com colher de pau até dar ponto.

Coloque o doce em uma bonita compoteira e quando amornar coloque na geladeira, caso queira servir gelado.

PUDIM DE PÃO

- 4 copos de pão amanhecido picado
- 1 coco
- 2 copos de água quente
- 5 colheres de sopa de açúcar
- 1 colher de café de canela em pó
- 1 colher de café de noz-moscada picada
- 1/2 colher de café de sal
- 1/2 copo de passinhas deixadas de molho em 1/2 copo de suco de laranja por 40 minutos

Abra o coco e bata os pedaços com a água quente. Passe por uma peneira e em seguida esprema em um pano para retirar o leite. Tempere o leite de coco com o açúcar, o sal e os temperos.

Coloque os pedaços de pão em uma tigela e regue com o leite temperado. Mexa com uma colher e em seguida amasse com as mãos.

Misture as passinhas (sem o suco) na massa de pão e vire-a em um pirex untado. Leve ao forno médio, preaquecido, e deixe assar por 40 minutos, ou até estarem começando a ficar dourados.

Espere o pudim esfriar um pouco para desenformá-lo.

RODELA DE CHOCOLATE DELICIOSA

- 2 copos de leite de soja
- 1 copo de açúcar
- 1/2 barra de chocolate amargo sem leite
- 2 colheres de sopa de mel
- 1 colher de sobremesa de caldo de limão
- 1/2 copo de avelãs descascadas e cortadas com uma faca
- 1/2 copo de amêndoas descascadas e cortadas com uma faca

Em uma panela misture o leite com o açúcar, o mel e o chocolate. Leve a panela ao fogo e quando estiver quase açucarando, retire-a do fogo.

Junte o limão, bata com colher de pau por alguns minutos e vire em uma superfície lisa e limpa, untada com óleo.

Coloque as avelãs e as amêndoas e amasse bem com as mãos. Faça um rolo bem certinho e depois embrulhe-o com papel-alumínio.

Mantenha o doce em geladeira e para servir desembrulhe e corte em fatias finas, como bolachas.

SAGU COM ABACAXI

- 6 rodelas grossas de abacaxi (use a casca para sucos) bem picadinhas
- 12 colheres de sopa de açúcar
- 6 copos de água (não use água quente)
- 1/2 copo de sagu

Coloque os ingredientes em uma panela e leve-a ao fogo alto.

Mexa sempre e assim que estiver fervendo mantenha-a em fogo baixo.

Assim que o sagu estiver transparente, apague o fogo, coloque-o num pirex e sirva-o depois de frio.

SAGU COM MORANGO

- 3 copos de morangos frescos lavados e sem os cabinhos
- 2 copos de água
- 1 copo de sagu
- 1/2 copo de açúcar
- 1/2 copo de groselha natural

Deixe o sagu de molho em água por 1 hora.

Coloque 2 copos de morangos cortados ao meio, numa panela, junto com a água e o açúcar. Reserve o 3º copo de morangos.

Leve a fogo alto, com a panela tampada até os morangos estarem cozidos, cerca de 20 minutos. Espere esfriar e acrescente o sagu (escorrido), a groselha e os morangos reservados, picadinhos.

Volte ao fogo e assim que o sagu estiver cozido apague e espere esfriar para colocá-lo na geladeira.

Sirva gelado.

SALADA DE FRUTA CAPRICHADA

- 1 copo de mamão cortado em pedaços não muito pequenos
- 1 copo de manga cortada em pedaços iguais aos do mamão
- 1 copo de laranja picada em pedaços iguais aos do mamão
- 1 copo de abacaxi cortado em pedaços iguais aos do mamão
- 1 cenoura
- 1 maçã
- uvas sem sementes
- 3 colheres de sopa de melado
- 1 copo de granola

Arrume as frutas picadas em uma travessa.

Passe a cenoura, metade do abacaxi e metade da maçã pela centrífuga.

Regue a salada de frutas com o suco obtido e leve para gelar por 30 minutos.

Sirva a salada de frutas em taças, cobertas com melado e granola.

SALADA DE FRUTA COM CHOCOLATE

- 1 copo de ameixa fresca em pedaços
- 1 copo de pêra em pedaços
- 1 copo de banana em pedaços
- 1 copo de amoras
- 1/2 barra de chocolate amargo
- folhas de hortelã

Misture as frutas picadinhas em uma tigela. Arrume porções de saladas em potinhos.

Derreta a barra de chocolate em banho-maria e distribua-o por cima das frutas, sem mexer ou misturar e leve-os à geladeira por 1 hora.

Sirva-os geladinhos, com uma folhinha de hortelã sobre cada potinho.

SALADINHA DE FRUTA

- 2 laranjas bem doces
- 1 pêra pequena madura
- 10 uvas
- 1/2 melão bem maduro
- 2 mangas
- 1 colher de sobremesa de açúcar mascavo, ou mel

Descasque e corte uma das mangas, bata no liquidificador com o caldo das 2 laranjas e coloque esse creme em formas de gelo com mini-cubinhos, levando em seguida ao congelador por, no mínimo, 2 horas.

Lave bem as demais frutas, descasque-as e corte em pedaços do mesmo tamanho. As uvas poderão ser cortadas ao meio, retiradas as sementes e a casca.

Distribua a salada em taças e leve-as à geladeira.

Ao servir desenforme os cubinhos congelados de manga, distribua-os nas tacinhas, salpique açúcar mascavo sobre cada uma.

SORVETE DE ABACAXI

- 1 abacaxi grande descascado e sem o centro
- 1 copo de açúcar mal cheio
- 1 copo de água

Leve ao fogo a água com o açúcar até levantar fervura. Deixe esfriar.

Passe o abacaxi por uma centrífuga (deixe 2 fatias separadas) e recolha o suco.

Assim que a calda esfriar misture o suco de abacaxi e leve à geladeira.

Quando estiver gelado coloque em uma sorveteira e mantenha no *freezer* até obter consistência macia.

Caso não se tenha a sorveteira, leve ao *freezer* e quando endurecer bata-o na batedeira e volte ao *freezer* para endurecer novamente.

Ao servir, coloque em taças decoradas com pedacinhos triangulares de abacaxi, cortadas das 2 fatias que ficaram reservadas.

SORVETE DE MAMÃO

- 4 copos de mamão maduro picadinho
- 2 cenouras grandes
- 1/2 copo de açúcar
- 1 copo de água
- 2 colheres de sopa de mel de uvas (encontrado em empórios turcos)

Leve ao fogo o açúcar e a água até levantar fervura. Deixe esfriar.

Passe as cenouras pela centrífuga e leve esse ao liquidificador com mel de uvas e o mamão, batendo até tornar-se um creme espesso.

Junte à calda já fria e bata tudo. Leve à geladeira e quando estiver gelado coloque em uma sorveteira. Leve ao *freezer* até ficar com consistência firme.

Caso não se tenha a sorveteira, leve ao *freezer* e quando endurecer bata-o na batedeira e volte ao *freezer* para endurecer novamente.

SORVETE DE MANGA

- 5 copos de fatias de manga
- 1 copo de açúcar
- 3 colheres de sopa de suco de laranja
- 1 colher de sopa de xarope de romã (encontrado em empórios turcos)
- 1 copo de água

Leve ao fogo a água com o xarope e o açúcar até levantar fervura. Deixe esfriar.

Bata a manga com o suco de laranja no liquidificador até tornar-se um creme espesso.

Junte à calda fria, misture e ponha na geladeira até que gele. Coloque em uma sorveteira e leve ao *freezer* até ficar com consistência firme.

Caso não se tenha a sorveteira, leve ao *freezer* e quando endurecer bata-o na batedeira e volte ao *freezer* para endurecer novamente.

Sirva o sorvete em tacinhas acompanhado de biscoito torradinho.

SORVETE DE MORANGO

- 5 copos de morangos frescos sem os cabinhos
- alguns morangos inteiros para decorar
- 1 copo de açúcar
- 1/2 copo de suco de maçã (passe maçãs pela centrífuga)
- 3 colheres de sopa de sumo de limão

Bata no liquidificador os morangos com o suco de maçã, o açúcar e o sumo de limão, todos os ingredientes até ficarem bem cremosos e leve o creme obtido à geladeira.

Assim que estiver gelado coloque em uma sorveteira e leve ao *freezer* até endurecer. Caso não tenha a sorveteira, assim que o sorvete congelar, bata-o na batedeira e volte ao *freezer* para congelar novamente.

Sirva o sorvete em taças ou potinhos, com um morango sobre cada um.

TAÇA DE MANGA COM CHOCOLATE

- 8 copos de fatias de manga
- 2 copos de açúcar
- 1 colher de chá de raspas de limão
- 1/2 barra de chocolate amargo
- 1 vidro de leite de coco

Cozinhe as fatias de manga em pouca água e assim que estiverem macias passe-as por uma peneira.

Faça uma calda com o açúcar e quando estiver fervendo adicione as raspas e a manga.

Derreta o chocolate amargo em banho-maria e após junte o leite de coco.

Coloque o doce de manga em tacinhas e por cima uma concha do creme de chocolate.

Deixe as tacinhas na geladeira por pelo menos 2 horas ou até estarem bem geladinhas.

Enfeite as taças com um pouquinho de raspas de chocolate.

TRUFA DE BATATA-DOCE

- 2 batatas-doces grandes
- 3 copos de açúcar mascavo
- 3 colheres de sopa de cacau peneirado
- 1/2 copo de nozes-pecã picadinhas

Após cozinhar as batatas-doces, retire-lhes a casca e passe-as por uma peneira.

Misture a batata-doce peneirada com o açúcar mascavo e leve ao fogo até o açúcar derreter, formar um creme e começar a desprender da panela. Adicione o cacau e as nozes-pecã e misture bem até estar em ponto de enrolar.

Após o doce esfriar pegue porções iguais, faça bolinhas e passe-as pelo cacau.

UVA ESPECIAL

- 5 copos de uvas sem sementes
- 2 1/2 copos de açúcar

Granola para acompanhar:

- 1 copo de aveia em flocos finos
- 4 colheres de sopa de germe de trigo
- 1/2 copo de castanha-de-caju
- 2 colheres de sopa de banana seca picadinha
- 4 colheres de sopa de glicose de milho

Coloque as uvas em uma panela, sem água e leve-a ao fogo alto, tampada. Deixe por 25 minutos, ou até as uvas estarem cozidas.

Passe-as por uma peneira e junte o açúcar. Leve novamente ao fogo brando, mexendo com colher de pau até dar ponto. Leve-o à geladeira.

Triture as castanhas-de-caju no liquidificador seco e misture em uma panela grande com a aveia, o germe de trigo. Leve-a ao fogo alto e mexa até começar a dourar.

Adicione a banana e a glicose e não pare de mexer até endurecer.

Espalhe por uma assadeira para esfriar e depois sirva o doce gelado com a granola por cima.